Pour la première fois

UNE NUIT CHEZ UN AMI

KATE PETTY
et
LISA KOPPER

Éditions Gamma – Éditions Héritage Inc.
Paris – Tournai – Montréal

Paul va dormir chez son ami Didier.
C'est la première fois qu'il quitte
ses parents pour toute une nuit.
"N'oublie pas ton singe", dit Papa.

La maman de Didier s'appelle Jeanne.
"Nous sommes contents de te voir, Paul."
Paul n'a que le temps de faire
un signe d'adieu avant que
Didier l'entraîne dans sa maison.

Didier commence par montrer ses jouets.
"C'est ici que tu dormiras".
Paul n'a jamais dormi par terre
mais le matelas n'est pas dur . . .

Les deux amis sautent sur les lits.
Quel chahut et quel désordre ! Alice, *Daphné*
la grande sœur, vient voir ce qui se passe.
Est-elle fâchée ? Non ; ils n'ont rien cassé.

C'est l'heure du dîner. *flavie* *félix*
Paul s'assied près de Didier.
"J'espère que tu aimes le poisson pané . . ."
Hélas, non, pas du tout!

Jeanne lui prépare des tartines de confiture.
Paul peut en manger toute une pile.

Pour terminer, il y a de la crème glacée.
Paul s'est encore régalé.

La maman de Didier fait couler un bain.
Pour qu'il mousse, Didier verse
beaucoup de produit.
Paul a apporté des jouets en plastique.

Les amis ont beaucoup de plaisir
à s'éclabousser . . .
et inondent la salle de bains.
"Aidez-moi à éponger l'eau",
dit Jeanne.
C'est très amusant aussi.

Paul a besoin d'aide pour mettre son pyjama.
Alice va-t-elle rire de lui?
Mais Alice ne se moque pas. Quand elle
était petite, elle avait aussi besoin d'aide.

Didier monte la garde
devant la porte des toilettes.
Paul lui a recommandé
de ne laisser entrer personne.

Il reste une chose à faire
avant d'aller se coucher.
"J'aime ton dentifrice",
dit Paul à son ami.

Paul a amené ses livres préférés.

Mais où est passé son singe en peluche?

Alice l'aurait-elle caché?

Mais Alice ne sait pas où il est.

Elle finit par le trouver.
Puis elle propose de leur faire
la lecture. Paul choisit un livre
et Alice le lit jusqu'au bout.
Didier a de la chance d'avoir
une grande sœur.

Chez lui, Paul a une veilleuse.
Parviendra-t-il à s'endormir dans le noir?
Alice laisse allumée la lampe du couloir.
"Appelle si tu as besoin
de quelque chose, Paul."

Didier voudrait des tas de choses.
Une autre histoire, une boisson, un biscuit . . .
"Il est temps de dormir", murmure Jeanne.
"Regarde. Paul est déjà presque endormi."

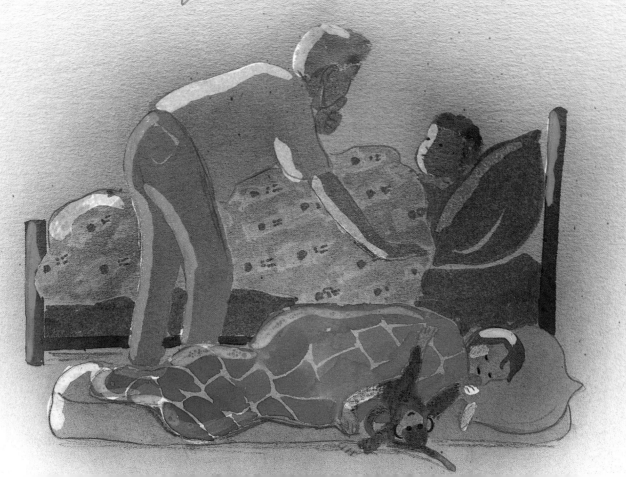

Paul s'éveille au milieu de la nuit.
Tout lui semble étrange dans le noir.
Et il fait si calme quand tout le monde dort !
"Jeanne !" appelle Paul.

Jeanne berce Paul dans ses bras.
Puis elle allume la veilleuse
qu'Alice avait autrefois.
Rassuré, Paul peut dormir maintenant.

Le matin, les enfants sont les premiers levés.
"Qui veut de la crème glacée?" demande Alice.
Paul et Didier n'hésitent pas. Jeanne trouve
que ce n'est pas un vrai petit déjeuner.

Papa, Maman et Stéphanie viennent chercher
Paul, mais il n'a pas envie de partir.
"Ne sois pas triste. Tu reviendras bientôt."
"Au revoir et merci", dit Paul
à la maman de Didier.

un sac

sauter sur les lits

un pyjama

l'heure du bain